Jej-Shena
YEH-HSIEN

retold by Dawn Casey

illustrated by Richard Holland

Albanian translation by Viola Baynes

Mantra Lingua

Para shumë kohësh në Kinën Jugore, siç na tregojnë dorëshkrimet e hershme, jetonte një vajzë e quajtur Jej-Shen. Që kur ishte fëmijë ajo ishte e zgjuar dhe zemërmirë. Ndërsa rritej ajo njohu hidhërim të madh, sepse i vdiq e ëma, pastaj dhe i ati. Jej-Shena mbeti nën kujdesin e njerkës.

Por njerka kishte vajzën e vet dhe nuk kishte dashuri për Jej-Shenën. Mezi i jepte një copë bukë për të ngrënë dhe e vishte vetëm me rroba të rreckosura. Ajo e detyronte Jej-Shenën të mblidhte dru për zjarr nga pyjet më të rrezikshme dhe të mbushte ujë nga pellgjet më të thella.
Jej-Shena kishte vetëm një mik…

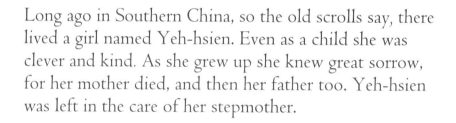

Long ago in Southern China, so the old scrolls say, there lived a girl named Yeh-hsien. Even as a child she was clever and kind. As she grew up she knew great sorrow, for her mother died, and then her father too. Yeh-hsien was left in the care of her stepmother.

But the stepmother had a daughter of her own, and had no love for Yeh-hsien. She gave her hardly a scrap to eat and dressed her in nothing but tatters and rags. She forced Yeh-hsien to collect firewood from the most dangerous forests and draw water from the deepest pools.
Yeh-hsien had only one friend...

…një peshk të vogël me pendë të kuqe dhe sy të artë. Të paktën, i vogël ishte kur e gjeti Jej-Shena në fillim. Por ajo e ushqeu peshkun e saj me ushqim dhe dashuri, dhe shpejt ai u rrit e u bë shumë i madh. Sa herë që ajo vizitonte pellgun e tij, peshku ngrinte gjithmonë kokën nga uji dhe e mbështeste tek bregu ku qëndronte ajo. Askush nuk e dinte sekretin e saj, deri sa, një ditë, njerka pyeti të bijën, "Ku shkon Jej-Shena me kokrrat e orizit?"
"Pse të mos e ndjekësh," i sugjeroi vajza, "dhe ta marrësh vesh?"

Kështu, prapa një tufe kallamash, njerka priti dhe vëzhgoi. Kur e pa Jej-Shenën të largohej, ajo futi dorën në pellg dhe e lëvizi andej-këtej. "Peshk! O peshk!" ajo këndoi nën zë. Por peshku qëndroi i sigurt nën ujë. "Krijesë e poshtër," mallkoi njerka. "Do të të kap…"

…a tiny fish with red fins and golden eyes. At least, he was tiny when Yeh-hsien first found him. But she nourished her fish with food and with love, and soon he grew to an enormous size. Whenever she visited his pond the fish always raised his head out of the water and rested it on the bank beside her. No one knew her secret. Until, one day, the stepmother asked her daughter, "Where does Yeh-hsien go with her grains of rice?"
"Why don't you follow her?" suggested the daughter, "and find out."

So, behind a clump of reeds, the stepmother waited and watched. When she saw Yeh-hsien leave, she thrust her hand into the pool and thrashed it about. "Fish! Oh fish!" she crooned. But the fish stayed safely underwater. "Wretched creature," the stepmother cursed. "I'll get you…"

"Sa ke punuar!" njerka i tha Jej-Shenës më vonë atë ditë. "Ti meriton një fustan të ri." Dhe ajo e detyroi Jej-Shenën t'i ndërronte rrobat e vjetra të rreckosura. "Tani, ik merr ujë nga burimi. S'ka nevojë të nxitohesh për t'u kthyer."

Sa iku Jej-Shena, njerka veshi rrobat e rreckosura, dhe nxitoi drejt pellgut. Ajo mbante një kamë të fshehur në mëngë.

"Haven't you worked hard!" the stepmother said to Yeh-hsien later that day. "You deserve a new dress." And she made Yeh-hsien change out of her tattered old clothing. "Now, go and get water from the spring. No need to hurry back."

As soon as Yeh-hsien was gone, the stepmother pulled on the ragged dress, and hurried to the pond. Hidden up her sleeve she carried a knife.

Peshku pa rrobat e Jej-Shenës dhe menjëherë nxorri kokën nga uji. Në çastin tjetër njerka i nguli kamën. Trupi i madh u plandos në breg pa jetë.

"I shijshëm," u mburr njerka, kur gatoi dhe shtroi mishin për darkë atë natë. "Shijen e ka dy herë më të mirë se peshku i zakonshëm." Dhe së bashku, njerka me të bijën, hëngrën dhe lëpinë edhe halën e fundit të mikut të Jej-Shenës.

The fish saw Yeh-hsien's dress and in a moment he raised his head out of the water. In the next the stepmother plunged in her dagger. The huge body flapped out of the pond and flopped onto the bank. Dead.

"Delicious," gloated the stepmother, as she cooked and served the flesh that night. "It tastes twice as good as an ordinary fish." And between them, the stepmother and her daughter ate up every last bit of Yeh-hsien's friend.

Të nesërmen, kur Jej-Shena i thirri peshkut, nuk i erdhi asnjë përgjigje. Kur e thirri përsëri, zëri i doli i çuditshëm dhe i hollë. Iu tendos barku. Iu tha goja. Duke u ulur mbi duar dhe gjunjë Jej-Shena ndau bimët ujore, por nuk pa asgjë veç guriçkave që vezullonin në diell. Dhe ajo e kuptoi që miku i saj i vetëm kishte ikur.

Duke qarë dhe vajtuar, Jej-Shena e shkretë ra përtokë dhe zhyti kokën në duar. Kështu, ajo nuk e vuri re plakun që zbriste nga qielli.

The next day, when Yeh-hsien called for her fish there was no answer. When she called again her voice came out strange and high. Her stomach felt tight. Her mouth was dry. On hands and knees Yeh-hsien parted the duckweed, but saw nothing but pebbles glinting in the sun. And she knew that her only friend was gone.

Weeping and wailing, poor Yeh-hsien crumpled to the ground and buried her head in her hands. So she did not notice the old man floating down from the sky.

Një erë e lehtë i preku ballin, dhe me sy të skuqur Jej-Shena hodhi shikimin lart. Plaku po e shikonte nga lart. Flokët i kishte të shpupurisura dhe rrobat të rëndomta, por sytë i kishte plot dhembshuri.

"Mos qaj," i tha me butësi. "Njerka jote ta vrau peshkun dhe ia fshehu halat tek pirgu i plehërave. Ik, merri halat e peshkut. Ato përmbajnë një magji të fuqishme. Çfarëdo që ti kërkon, ato do të ta japin."

A breath of wind touched her brow, and with reddened eyes Yeh-hsien looked up. The old man looked down. His hair was loose and his clothes were coarse but his eyes were full of compassion.

"Don't cry," he said gently. "Your stepmother killed your fish and hid the bones in the dung heap. Go, fetch the fish bones. They contain powerful magic. Whatever you wish for, they will grant it."

Jej-Shena ndoqi këshillën e plakut të ditur dhe i fshehu halat e peshkut në dhomën e saj. Ajo i nxirrte shpesh dhe i mbante në duar. Ato ndiheshin të lëmuara dhe të ftohta dhe të rënda në duart e saj. Shumicën e kohës, ajo kujtonte mikun e saj. Por nganjëherë, ajo shprehte ndonjë dëshirë.

Tani Jej-Shena i kishte të gjitha ushqimet dhe rrobat që i duheshin, si dhe nefritë të çmuar dhe margaritarë me ngjyrë të zbehtë si të hënës.

Yeh-hsien followed the wise man's advice and hid the fish bones in her room. She would often take them out and hold them. They felt smooth and cool and heavy in her hands. Mostly, she remembered her friend. But sometimes, she made a wish.

Now Yeh-hsien had all the food and clothes she needed, as well as precious jade and moon-pale pearls.

Shumë shpejt kundërmimi i luleve të kumbullave lajmëroi ardhjen e pranverës. Ishte koha e Festivalit të Pranverës, ku njerëzit mblidheshin për të nderuar stërgjyshërit e tyre dhe të rejat dhe të rinjtë shpresonin të gjenin bashkëshortë dhe bashkëshorte.
"Ah sa do të doja të shkoja," psherëtiu Jej-Shena.

Soon the scent of plum blossom announced the arrival of spring. It was time for the Spring Festival, where people gathered to honour their ancestors and young women and men hoped to find husbands and wives.
"Oh, how I would love to go," Yeh-hsien sighed.

"Ti?!" i tha motra e gjetur. "Nuk mund të shkosh!"
"*Ti* duhet të rrish dhe të ruash pemët e frutave," e urdhëroi njerka.
Kështu ishte puna. Ose do të ishte kështu, sikur Jej-Shena të mos
kishte qenë kaq e vendosur.

"You?!" said the stepsister. "You can't go!"
"*You* must stay and guard the fruit trees," ordered the stepmother.
So that was that. Or it would have been if Yeh-hsien had not been so determined.

Kur njerka dhe motra e gjetur kishin ikur, Jej-Shena u përgjunj përpara halave të peshkut të saj dhe shqiptoi dëshirën e saj. Dëshira iu plotësua me një çast.

Jej-Shena u vesh me një rrobë prej mëndafshi, dhe manteli i saj ishte sajuar prej pendëve të bilbilave të ujit. Çdo pendë kishte shkëlqim verbues. Dhe ndërsa Jej-Shena lëvizte andej-këtej, ato vezullonin duke lëshuar çdo nuancë të imagjinueshme të ngjyrës blu – e errët, e çelët, bruz, si dhe e kaltra e xixëlluar nga dielli në pellgun ku peshku i saj kishte jetuar. Këmbët i kishte me këpucë prej ari. Jej-Shena doli fshehurazi, e mbushur plot hijeshi, si shelgu që valëvitet në erë.

Once her stepmother and stepsister were out of sight, Yeh-hsien knelt before her fish bones and made her wish. It was granted in an instant.

Yeh-hsien was clothed in a robe of silk, and her cloak was crafted from kingfisher feathers. Each feather was dazzling bright. And as Yeh-hsien moved this way and that, each shimmered through every shade of blue imaginable – indigo, lapis, turquoise, and the sun-sparkled blue of the pond where her fish had lived. On her feet were shoes of gold. Looking as graceful as the willow that sways with the wind, Yeh-hsien slipped away.

Ndërsa i afrohej festivalit, Jej-Shena ndjeu dridhjen e tokës nga ritmi i vallëzimit. Ajo mbajti erën e mishrave të buta që piqeshin si dhe të verës së ngrohtë me erëza. Ajo dëgjonte muzikë, këngë, të qeshura. Dhe kudo që shikonte, njerëzit po kënaqeshin. Jej-Shenës i shkëlqente fytyra nga gëzimi.

As she approached the festival, Yeh-hsien felt the ground tremble with the rhythm of dancing. She could smell tender meats sizzling and warm spiced wine. She could hear music, singing, laughter. And everywhere she looked people were having a wonderful time. Yeh-hsien beamed with joy.

Shumë koka u kthyen për të parë bukuroshen e panjohur.
"Vallë *kush* është ajo vajzë?" mendohej njerka, duke parë Jej-Shenën me kujdes.
"Ajo duket pak si Jej-Shena," i tha motra e gjetur, syngrysur nga enigma.

Many heads turned towards the beautiful stranger.
"Who *is* that girl?" wondered the stepmother, peering at Yeh-hsien.
"She looks a little like Yeh-hsien," said the stepsister, with a puzzled frown.

Jej-Shena ndjeu forcën e vëzhgimeve të tyre dhe u kthye, por u gjend ballë për ballë me njerkën. I ngriu zemra dhe buzëqeshja iu venit.
Jej-Shena iku me kaq nxitim sa një nga këpucët i doli nga këmba. Por ajo nuk guxoi të ndalonte për ta marrë, dhe ajo vrapoi drejt e në shtëpi me një këmbë të zbathur.

Yeh-hsien felt the force of their stares and turned around, and found herself face to face with her stepmother. Her heart froze and her smile fell.
Yeh-hsien fled in such a hurry that one of her shoes slipped from her foot. But she dared not stop to pick it up, and she ran all the way home with one foot bare.

Kur njerka u kthye në shtëpi, ajo e gjeti Jej-Shenën duke fjetur, me krahët e saj rreth një peme në kopsht. Për pak kohë ajo ia nguli sytë thjeshtrës, dhe pastaj turfulliu me të qeshura. "Bah! Po si kujtova unë se *ti* mund të ishe gruaja në festival? Budallallëqe!" Kështu ajo as që e çoi më nëpër mend këtë.

Po çfarë kishte ndodhur me këpucën e artë? Ajo rrinte fshehur në barin e gjatë, larë nga shiu dhe e mbuluar si me rruaza nga bulëzat e vesës.

When the stepmother returned home, she found Yeh-hsien asleep, with her arms around one of the trees in the garden. For some time she stared at her stepdaughter, then she gave a snort of laughter. "Huh! How could I ever have imagined *you* were the woman at the festival? Ridiculous!" So she thought no more about it.

And what had happened to the golden shoe? It lay hidden in the long grass, washed by rain and beaded by dew.

Në mëngjes, një i ri shëtiste i shkujdesur përmes mjegullës. Vezullimi i arit ia tërhoqi syrin. "Ç'është kjo?" tha ai i habitur, duke ngritur këpucën, "…diçka e veçantë."
I riu e shpuri këpucën në ishullin e tij fqinjë, To'han, dhe ia paraqiti mbretit.

"Kjo pantofël është e shkëlqyer," u mrekullua mbreti, duke e kthyer andej-këtej në duar.
"Nëse arrij të gjej dot gruan së cilës i bën një këpucë e tillë, do të kem gjetur një nuse."
Mbreti urdhëroi të gjitha gratë e shtëpisë së tij të provonin këpucën, por ajo ishte një inç më e vogël madje edhe për këmbën më të vogël.
"Do të kontrolloj tërë mbretërinë," u betua mbreti. Por këpuca nuk i bënte asnjë këmbe.
"Duhet të gjej gruan së cilës i bën kjo këpucë," deklaroi mbreti. "Por në ç'mënyrë?"
Më në fund i lindi një ide.

In the morning, a young man strolled through the mist. The glitter of gold caught his eye. "What's this?" he gasped, picking up the shoe, "…something special." The man took the shoe to the neighbouring island, To'han, and presented it to the king.

"This slipper is exquisite," marvelled the king, turning it over in his hands. "If I can find the woman who fits such a shoe, I will have found a wife." The king ordered all the women in his household to try on the shoe, but it was an inch too small for even the smallest foot. "I'll search the whole kingdom," he vowed. But not one foot fitted. "I must find the woman who fits this shoe," the king declared. "But how?"
At last an idea came to him.

Mbreti dhe shërbëtorët e tij e vendosën këpucën në anë të rrugës. Pastaj u fshehën
dhe vëzhguan për të parë nëse ndokush do të vinte për ta marrë për vete.
Kur një vajzë e veshur me rroba të rreckosura erdhi dhe iku me këpucën njerëzit
e mbretit kujtuan se ishte hajdute. Por mbreti po vështronte këmbët e saj.
"Ndiqeni," u tha me zë të ulët.

"Hapeni!" bërtitën njerëzit e mbretit ndërsa i ranë fort derës së Jej-Shenës.
Mbreti kontrolloi të gjitha kthinat e shtëpisë dhe gjeti Jej-Shenën. Në dorë
ajo kishte këpucën e artë.
"Të lutem," i tha mbretit, "vishe."

The king and his servants placed the shoe by the wayside. Then they hid and
watched to see if anyone would come to claim it.
When a ragged girl stole away with the shoe the king's men thought her a thief.
But the king was staring at her feet.
"Follow her," he said quietly.

"Open up!" the king's men hollered as they hammered at Yeh-hsien's door.
The king searched the innermost rooms, and found Yeh-hsien.
In her hand was the golden shoe.
"Please," said the king, "put it on."

Njerka dhe motra e gjetur vëzhguan gojë hapur ndërsa Jej-Shena shkoi në skutën e saj të fshehur. Ajo u kthye e veshur me mantelin e saj prej pendësh dhe të dyja këpucët e saj të arta. Ajo ishte aq e bukur sa një qenie qiellore. Dhe mbreti e kuptoi që kishte gjetur gruan që donte.

Kështu, Jej-Shena u martua me mbretin. Kishte fenerë dhe flamuj, gongje dhe daulle, si dhe ushqimet më të shijshme. Festimet zgjatën shtatë ditë.

The stepmother and stepsister watched with mouths agape as Yeh-hsien went to her hiding place. She returned wearing her cloak of feathers and both her golden shoes. She was as beautiful as a heavenly being. And the king knew that he had found his love.

And so Yeh-hsien married the king. There were lanterns and banners, gongs and drums, and the most delicious delicacies.
The celebrations lasted for seven days.

Jej-Shena dhe mbreti i saj kishin çdo gjë që mund të dëshironin.
Një natë ata varrosën halat e peshkut pranë bregut të detit, ku ato u çuan larg nga baticat.

Fryma e peshkut ishte e lirë: për të notuar përgjithmonë në ujra që xixëllonin nga dielli.

Yeh-hsien and her king had everything they could possibly wish for. One night they buried the fish bones down by the sea-shore where they were washed away by the tide.

The spirit of the fish was free: to swim in sun-sparkled seas forever.